La reina de corazones
o el cantar de los calzones

Primera edición, septiembre, 2015

Coedición: CIDCLI, S.C.
Consejo Nacional para la Cultura y las Artes
Dirección General de Publicaciones

 CIDCLI

D.R. © 2015, CIDCLI, S.C.
Av. México 145-601
Col. Del Carmen Coyoacán
C.P. 04100, México, D.F.
www.cidcli.com

◄▲ CONACULTA

D.R. © 2015, Consejo Nacional para la Cultura y las Artes
Dirección General de Publicaciones
Avenida Paseo de la Reforma 175,
Col. Cuauhtémoc, C.P. 06500, México, D.F.
www.conaculta.gob.mx

D.R. © Alonso Núñez
D.R. © Ivar Da Coll

Coordinación editorial: Elisa Castellanos
Diseño: Estudio Sahagón / Leonel Sagahón y Cristian Cedillo

ISBN CIDCLI: 978-607-8351-43-5
ISBN CONACULTA: 978-607-745-146-4

Impreso en México / *Printed in Mexico*

La reina de corazones o el cantar de los calzones
Se imprimió en el mes de septiembre de 2015
En los talleres de Offset Rebosán S.A. de C.V.
Acueducto No. 115 Col. Huipulco, Tlalpan, México, D. F.
El tiraje fue de 3 000 ejemplares.

A las coautoras, Tina y Nanda,
de todo corazón. A. N.

La reina de corazones

o el cantar de los calzones

Texto **Alonso Núñez**
Ilustraciones **Ivar Da Coll**

CONACULTA

DIRECCIÓN GENERAL
DE PUBLICACIONES

CIDCLI

La reina de corazones
tiene roto el corazón,
tiene roto el corazón
la reina de corazones.

Y es que un grupo de ladrones
le ha robado un camisón,
dos vestidos, un faldón
y dos cajas de calzones.

—Id a todas las naciones
—ha ordenado a un batallón—.
Explorad cada rincón
hasta dar con los bribones.

Y allá van nuestros sansones,
mil soldados de cartón,
marche y marche porque son
archirrecontraluchones.

(Aunque en ciertas ocasiones
no en perfecta formación).

Cruzan selvas a montones,
y desiertos, un millón;
van por mar hasta el Japón
esquivando tiburones.

En veleros o en aviones
siguen firmes de excursión
por Manila, por Cantón,
por Pekín y otros rincones...

Rincones, caminos, sendas,
¿en dónde estarán las prendas?
¿En la falda de un volcán,
en el fondo de la mar?

¿En mantos de nieve suiza
o en la faja fronteriza?

Resueltos, solos o juntos, recorren todos los puntos:
Norte, Sur, Este, Oeste, o este, o este, o este, o este...

Al fin llegan los campeones
hasta el último rincón
sin cumplir con la misión
de atrapar a los ladrones.

Y le escriben dos renglones
a la reina, al aventón:

«*Majestad, complicación,*
no encontramos sus calzones».

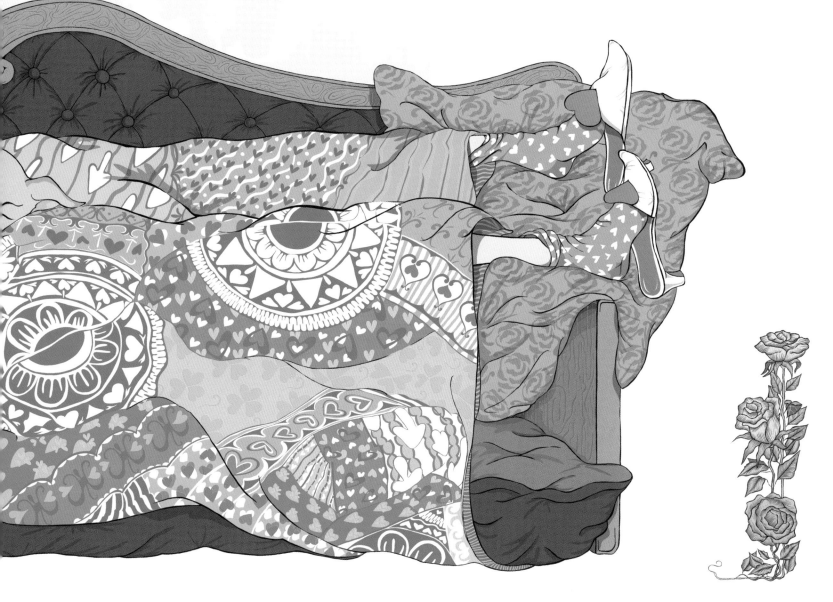

Y reciben instrucciones
de la reina, un notición:

«*Ay, perdón, perdón, perdón,
que me ha dicho mi marido,
mi marido el rey Ramón,
que no es cosa de ladrones…*

»Que ha llevado él los calzones,
los vestidos y el faldón,
porque tienen muchos hoyos,
con un sastre remendón…

»Regresad a la nación,
mis valientes hombretones,
que con tantas confusiones
tengo roto el corazón».

Y con esta aclaración
damos fin a la canción.